M000291451

Les pompiers

Texte de Stéphanie Ledu
Illustrations d'Éric Gasté

•

MiLAN

Voici le centre des pompiers.
On l'appelle aussi la caserne.

4

Chaque matin, le capitaine fait les équipes : il dit
à chaque pompier sur quel camion il partira en cas d'alerte.

La **grande échelle** permet aux habitants d'une maison en feu de sortir par les fenêtres.

Le **camion-ambulance** transporte
les blessés à l'hôpital.

Le **fourgon-pompe** peut contenir
2 000 litres d'eau !

10

Chaque jour, les pompiers font
des exercices avec leur **matériel**.

Ils font aussi beaucoup de **sport**.
Pour secourir les gens, il faut être très fort !

11

Le téléphone sonne dans le bureau
des pompiers : au secours, un incendie !

La **sirène** retentit dans la caserne.

Pour aller plus vite, les pompiers descendent
au garage le long d'une **perche**.

13

Les pompiers portent un **uniforme**. Avant de partir, ils mettent en plus une **veste** en tissu spécial...

... et un **casque**, qui les protégeront du feu.
Ils portent aussi une **ceinture** où sont accrochés
leurs **gants**, une **lampe** et des **outils**.

Moins de 2 minutes après l'alerte, les pompiers grimpent dans le camion. Le conducteur se tient prêt à foncer...

Pin-pon, pin-pon !... Au bruit de la sirène,
les voitures s'écartent : elles doivent
laisser passer les camions rouges,
qui roulent à toute vitesse !

Vite, les pompiers déploient la grande échelle,
déroulent les tuyaux et les branchent
à des robinets sous le trottoir.

Une équipe entre dans l'immeuble.
De la **fumée** et des **flammes** s'échappent
d'un appartement. Les pompiers
attaquent le feu avec leur **lance**.

Ouf ! L'incendie est éteint. Tout le monde est sauvé.

En été, des incendies géants brûlent parfois la forêt.

Les pompiers luttent des jours entiers
contre le feu avant de réussir à l'éteindre...

Le **Canadair** pompe très vite des milliers de litres d'eau à la surface d'un lac ou de la mer.

Puis il les largue sur les flammes !

Les pompiers sont toujours prêts à rendre service.
Ils secourent aussi les gens qui ont un accident
de voiture ou qui se blessent en tombant...

Et parfois, on les appelle
pour sauver un animal !

Découvre tous les titres
de la collection

Mes P'tits **DOCS**

À table !
Au bureau
Les bateaux
Le bébé
Le bricolage
Les camions
Le chantier
Les châteaux forts